pistol

씨앗

추천의 말

처음 이 원고를 접한 편집자의 느낌은 까뮈의 글을 읽는듯한 그런 것이었다.
드넓은 지중해를 마주한 한남 자의 고뇌와 선택의 문제...

그와 함께 '바다'를 노래한 많은 시와 소설이 떠올랐다. 존 메이스필드의 <sea-fever>에 나오는 잊지 못할 바다내음...

"나 다시 바다로 가리 방랑하는 집시의 생활로 바람이 칼날같이 부는 갈매기의 길로, 고래의 길로..."

바다를 굳이 상징적으로 해석하지 않아도 그것은 존재의 자궁이자 시원이다. 인간은 늘 자궁으로의 회귀를 꿈꾸는 존재라 한다면 윤슬이 가득한 바다를 마주한 헐벗은 인간은 그제야 비로소 삶과, 갈등과 모순으로 가득한 타인과 화해하게 된다.

끝으로 본문 수록 사진 중 속표지는 작가의 것이며 그 외는 모두 google에서 가져왔다.

편집자 씀

지은이

이동우

소설가/ 문학칼럼니스트

차례

1.

 그녀의 마지막 눈빛이 '나'를 흔들리게 했다. 그녀는 이미 체념한 듯 고개를 끄덕였다. 이제 그만 가게 해달라고.

 그녀의 목을 조이던 나의 두 손에서 점점 힘이 빠져나갔다. 그녀의 두 눈은 스르륵 감겼다. 그러자 나는 슬쩍 겁이 나서 손에 들어간 힘을 조금 뺐다. 그러자 그녀의 눈이 다시 떠졌다. 그 순간 나는 나도 모르게 또다시 손에 힘을 주었고 그녀의 얼굴은 일그러지더니 이내 평온해졌다.

2.

파도 소리가 들리는 듯했다. 머릿속에서 천국과 지옥이 번갈아 출몰했다가는 사라지고를 반복하였다. 구슬픈 뱃고동 소리가 하나의 빛으로 다가왔다. 눈을 감고 있어도 방안은 환하게 빛이 났다.

흐릿한 내 머릿속에서 꼬여버린 사건의 매듭이 하나 둘 정리되는 느낌이었다. 엔진소리에 이어 뱃고동이 요란스레 들려왔고 그다음 나의 의식이 돌아왔고 이어서 파도 소리가 들려왔다.

코가 벌름거렸다. 비릿한 갯내음이 후각을 자극하였다. 도시의 메마른 아파트 단지에서는 맡을 수 없는 시원始原의 내음이었다. 그것은 지금 내가 어디 와있는지를 돌아보게 했다.

손으로 가슴을 더듬어보자 피스톨이 만져졌

다. 그러니까 어젯밤 피스톨을 가슴에 품고 잤다는 것이다. 계획대로라면 어젯밤 바닷가에서 총구를 내 관자놀이에 대고 방아쇠를 당겨야 했다.

해변에는 낚시꾼이 낚싯줄을 감고 있었다. 그 옆을 청춘남녀가 찰싹 붙어 지나갔다. 하늘에는 별이 빛났고 수면에는 불빛에 반사된 윤슬이 가득했다.

고흐는 론강 수면에 반영되는 별빛을 보면서 편지로 그 벅찬 감동을 전해 보냈지만 내게는 편지를 받아줄 사람도 없었다.

그림 같은 윤슬의 바다에 하마터면 익사할 뻔한 나는 애써 도리질을 하였다. 피스톨.

피스톨을 가슴에서 꺼내려면 아무래도 술의 도움이 필요했다.

.

그런데 난 이미 취해있었다. 아스라이 들려오는 파도 소리, 그것이 간질이는 나의 청각, 그리고 벌름거리는 코, 갯내음...
이런 것들에 나는 잔뜩 취해있었다. 그렇다면 나는 방아쇠를 당겼어야 했다.

젊었을 적엔 누구나 흙탕에 뒹굴면서도 자유를 외칠 수 있지만 세월을 입으면 울타리 속 안정에 자신을 가두게 된다. 하지만 그것마저

허락되지 않는다면 가슴속에 피스톨을 넣게 된다.

시인의 말을 빌면 '인생이 허기질 때'쯤 될 것이다. 그 무엇으로도 허기를 채울 수 없을 때 정신이 혼미해지고 결국은 가슴속 피스톨을 꺼내게 되는 것이다.

그 먼 길을 나는 피스톨을 꺼내기 위해 이곳 여수까지 왔건만 내 손에 들려있는 건 술병 뿐이었다...

난 눈을 뜰 수가 없었다. 내 눈 앞에 펼쳐질 세상을 마주할 자신이 없었다. 그 세상을 어떻게 받아들여야 할지 준비가 안 되어 있었다.

자신의 의지와는 무관하게 세상에 던져진 인간들은 저마다 다른 길을 걸어간다. 그냥 내처

걷는 사람, 혹은 망치를 들고 걷는 사람, 것도
아니면 누군가 갔던 길을 따라 걷는 사람...내가
그랬던 거 같다... 늘 남들과 비슷해지기 위해
노력했고 그것의 끝이 설혹 절망이라 해도 그
길을 가려 했던 거 같다.

　그럼에도 난 신에게 반항하였고 신의 의지
따위란 없고 주어진 삶이란 것도 없으며 모든
것에 내 의지가 앞선다고 생각하던 그 10년전,
난 이곳 여수를 찾았다. 여수 엑스포가 시작되
기 전이었다.

3.

서울 용산역에서 올라탄 열차는 하루 종일 달려 오후 해거름 녘에야 종착역인 여수역에 도착했다.

뚜렷한 목적을 갖고 내려온 여수행은 아니었다. 그저 땅끝 어딘가에 가보고 싶었다.

처음 여수역 광장에 발을 디뎠을 때 하늘은 검은 구름으로 가득했지만 바다는 여전히 푸르렀다.

광장에 높은 망루가 없는게 마음에 들었고 최루탄도, 구호도, 단결된 민중의 함성도 없었다.

시장은 사람들로 바글거렸고 나 역시 그렇게 시장통에 '내던져진' 하나의 존재일 뿐이었다.
선로를 따라 힘차게 달려왔으나 막상 여수역

광장에 내려 어디로든 갈 수 있는 자유가 주어졌을 때 나는 나를 '잃어버렸다'.

　광장을 배회해도 나를 쳐다보는 사람은 없었고 이따금 버스나 택시기사가 손님을 실을 양으로 힐끔거릴 뿐이었다. 순간 나의 가슴은 오그라들면서 저릿한 통증이 느껴졌다.

　난 가슴을 최대한 팽창시켜 숨을 내쉬면서 시선을 멀리 던져보았다. 저만치 오동도가 보였고, 산이 보였고, 도심으로 나있는 대로가 보였다.

　난감해졌다. 그 어떤 것도 광장에서 길을 잃은 내게 나침반이 돼주질 못했다. 과학적 사고, 이론, 책 , 세계관, 그리고 그들.... 그 어떤 것도 내게 올바른 방향을 제시하지 못했다 .

　그래서 나는 무작정 걸었다. 그러다 보니 길은 길로 이어졌고 오동도로 향하는 왼쪽 길을

택했다. 그렇게 난 오동도를 향해 걸어갔다

그러다 누군가를 만나게 될 수도 있을테고 그러다보면 또 다른 길을 찾아낼지도 모른다는 막연한 기대를 품은 채 나는 계속 그 길을 갔다.

그렇게 근거 없는 희망에 나를 맡기고 걷다보니 방파제에 이르게 되었고 그 끝은 섬이었다. 하지만 그 섬엔 들어갈 수 없었다.

지천에 널린게 섬인데 그 섬에 나는 들어가지 못하고 있었다. 그 절대고독 속에서 나는 육지와 섬을, 섬과 바다를 배회하는 존재라는 생각이 들었다.

피안彼岸과 차안此岸, 절대고독과 군중 사이를 오가기 위해서는 배가 있어야 했고 노 저을 힘이 필요했다.

4.

오동도와 육지는 방파제로 연결돼있어, 걸을 수만 있다면 절대고독과 군중 사이를 언제든 오갈 수 있었다.

그러자 오동도는 우연히 바다에 떠 있는 것이 아닌 태초부터 '쓰임'이 있어 생겨난 섬이라는 생각이 들었다. 아니, 누가 방파제를 향해 오동도로 들어가느냐에 따라 오동도는 새롭게 태어나는 것이었다.

그래서 난 오동도로 향하고 있었는지 모른다. 날 위해 새롭게 태어나는 섬 하나와 마주하기 위해.

나는 체 게바라를 생각하면서 오동도 방파제를 뚜벅뚜벅 걸었다. 우리들의 차가운 지구는 레닌의 태양으로도 덥혀지지 않았고 그는 죽었다. 위대한 사령관 체 게바라가 다녀간 나라도 빈민가는 없어지지 않았다. 체 게바라도 죽었다. 덩달아 나의 자유의지도 사라졌다. 나는 내게로 돌아왔다. 그럴수록 나는 희미해져 갔고 점점 형체를 잃어갔다.

오동도

내가 여수까지 내려온 건 어쩌면 나를 찾기 위함이었는지 모른다. 그렇게 기차를 타고 땅끝까지 왔고 땅끝에서 섬으로 들어가고 있었다.

오동도 방파제를 걸어 들어가면서 나는 나를 계속 의심하였다...

오동도는 큰 섬이 아니었다. 한 시간도 채 되지 않아 한 바퀴 돌아볼 수 있었다. 동백나무와 대나무 숲 사이로 나 있는 길을 벗어나 갯바위에 내려갔다. 갯바위와 갯바위 사이는 틈이 벌어져 바닷물이 들고나기를 반복했고 나는 그 위에 쪼그려 앉았다.

그러자 발밑에서는 물이 찰랑거리고 주변에는 아무도 없이 나 혼자였다. 이렇게 '잃어버린 나'와 '나'는 온전히 하나가 되었다.

그런 나의 자의식은 여수에 와서 조금씩 열어지기 시작하더니 한순간 완전한 해방되는듯 하였다. 그리고는 그 뒤를 따른 절대고독.

혼자인 존재는 또 있었다. 그것은 가마우지였다. 새는 수면 위에 조그맣고 검게 동동 떠다

녔다. 그러더니 그것은 고개를 수면 아래로 처박고 잠수를 시작했다. 물이 맑아 가마우지가 물속을 빠르게 유영하면서 물고기를 쫓아가는 모습이 보였다. 그러나 새는 물고기를 잡지 못하고 수면 위로 올라와 나처럼 숨을 헐떡거렸다. 그 모습이 우습기도 하고 안쓰럽기도 했다. 물고기를 잡아먹고 살기에는 아직 어리고 서툴렀다. 세상에 늘 서툴고 서먹하던 나처럼.

물에 떠 있는 검은 물체는 또 있었다. 저만치 꼬리가 긴 물체가 수면에 떠 있었다. 큰 가마우지로 보였는데 허우적거림이 심상치가 않았다.

사람 팔이었다. 사람의 팔은 허우적거리면서 줄 끊어진 부표처럼 조류에 떠밀리고 있었다. 나는 갯바위에서 벌떡 일어났다. 구조신고를 하려고 바지 주머니에서 휴대폰을 급히 꺼내다 그만 바닷물에 빠뜨리고 말았다.

사람이 바다 속으로 가라앉고 있었다. 나는 절벽 아래 갯바위에서 바다를 향해 소리쳤다. 그것은 차라리 단말마의 비명소리였다.

아마도 억겁의 세월이 사라지고 있기 때문이었을 것이다. 그 사람을 위해 오동도 동백꽃은 헤아릴 수 없는 세월 동안 피고 지고 가마우지도 먹이를 찾아 물속을 뒤져 왔을 것이다. 한 사람이 세상에서 사라진다는 것은 그 사람을 기다려온 땅끝 도시 여수가 사라지는 것을 뜻했다.

나는 동백꽃, 가마우지, 갯내음, 등대, 대나무, 뱃고동 소리, 서울에서 숨을 헐떡거리고 달려온 기차, 그 모든 것이 사라지고 있는 것을 지켜보고 있을 수밖에 없었다. 절망이라는 것은 그런 것이었다. 무기력하게 지켜만 보기.

그때 구세주처럼 나타난 고속정 한 척이 물살을 헤치며 달려왔다. 구명정이 던져졌고 구조대원이 물에 뛰어들었다. 고속정에 건져 올려지는 그녀는 물에 젖은 긴 머리카락을 늘어뜨린 채 움직임이 없었다. 그리고 나는 갯바위에 털썩 주저앉아 버렸다. 나는 여자가 행여 살아나게 된다면 구조대원에게 고맙다고 말할 것인지 아니면 원망을 늘어놓을지 그게 궁금해졌다.

나는 갯바위를 벗어나 산책로로 올라가는 계단을 지나 난간 대신 이어놓은 밧줄을 힘껏 움켜쥐고 올라왔다.

5.

　나는 여전히 눈을 감고 있었다. 그때 바람을 느껴졌다. 창문이 열려있는 걸 나는 몰랐다. 그렇게 창밖은 항상 뭔가가 생육하고 변화하고 움직이고 있었다. 빛이 내리쬐고 있었고 뱃고동 소리와 파도 소리도 들렸으며 갯내음도 풍겨왔다.

　나는 문득 열린 창밖이 보고 싶어져서 눈을 떴다. 그러자 갈매기 한 마리가 창 밖 발코니 난간에 앉아 방안을 들여다보고 있는 게 눈에 띄었다.

　숙소 창문은 미닫이 통유리로 되어 있었다. 열려진 통유리 사이로 들어오는 바닷바람에 은색 커튼이 하늘거렸다.

　커튼이 움직일 때마다 번쩍이는 빛이 방으로 스며들어 온통 보석처럼 빛이 났다.

나는 온통 풀어 헤쳐진 셔츠를 걸친 채 커튼을 향해 발을 옮겼다. 커튼을 젖히고 반쯤 열려진 유리창을 완전히 열고 벽에 기대어 밖을 내다보았다.

거대한 돌산대교가 바다 위를 가로질렀고 장군도라 불리는 밤톨만한 섬이 바다 가운데 둥실 떠 있었다. 작은 배 한 척이 오색 깃발을 꽂고 장군도를 지나쳐 넓은 바다로 빠르게 달려갔다. 맞은편에서 달려오는 큰 배가 일으키는 파도를 힘차게 헤치고 달려갔다. 그 모습을 보는 내 입가에 오랜만에 미소가 번졌는데 그 광경이 마치 어린아이가 장애물 경기를 하는 것처럼 보였기 때문이다. 나는 발코니로 발을 내디뎠다.

그러자 여수항이 펼쳐졌다. 하늘에서는 갈매기가 부드럽게 유영했다. 햇볕은 윤슬을 이루며

쏟아져 내렸고 수면에는 갈치 비늘들이 햇살에 눈부시게 빛을 뿜어냈다.

여수항

고흐라면 이 광경을 어떻게 그려냈을까 하는 의문이 들어 사진으로 남기기 위해 주머니를 뒤져 지난번 간신히 바다에서 끄집어낸 휴대폰을 만지작거리다 말았다.

모두가 죽었다. 세상을 바꾼 그 모든 이들이

떠나갔다. 고흐도, 스티브잡스도. 나는 바다에 다시 휴대폰을 던져버렸다. 이제 사진을 찍거나 기록이나 글을 남길 수 있는 것은 아무것도 없었다.

발코니 난간 아래로 고개를 숙여보니 모래사장이 펼쳐져 있었다. 잔잔한 파도가 그 위를 넘나들었고 내 발끝까지 밀려왔다. 나는 맨발로 모래사장을 걷고 싶었다. 모래에 찍히는 나의 발자국을 보고 싶었고 모래의 감촉도 느끼고 싶었다.

그녀를 봐야겠다는 생각이 났다. 독일로 떠났다던 그녀가 여수에 돌아와 있다는 것을 어디선가 읽었기 때문이다.

6.

그리고는 오동도를 나와 시내를 향해 무작
정 걸었다. 지방 도시여서 한나절이면 돌아보기
에 충분했다. 거리는 조용했고 사람들도 많지
않았다. 사념에 빠져 걷기에 안성맞춤이었다.

한참을 걷다 여수 서쪽 바다가 보이는 언덕
길을 따라 내려가니 진남관이 눈에 들어왔다.
그것은 마치 바다를 지키려는 듯 거대한 위용
을 자랑하고 있었다. 오동도 동쪽으로는 시원
의 바다가 펼쳐져 있지만 서쪽은 세상의 올망
졸망한 모습들을 그대로 보여주고 있었다.

나는 해안 골목길로 들어섰다. 골목은 삶이
전시된 박물관이다. 해서 기웃대면서 걸었고 골
목은 생의 욕구들로 가득했다
골목엔 식당들이 서로 어깨를 맞대고 늘어서

있었고 그 안에서 나오는 냄새는 내 비어있는 위장을 자극했다. 건어물이 걸려있는 수산물 가게들은 내 시선을 끌었다. 그러다 내 걸음이 멈춘 곳은 천장에 가오리들이 매달려있는 한 건어물 가게 앞이었다. 가오리들은 금방이라도 하늘로 날아오를 것만 같았다.

순간, 나의 고막을 강타한 게 있었다. 피아노 소리였다. 가오리 가게 앞 파란 간이의자에 앉아 있던 주인 여자가 소쿠리보다 더 큰 배를 내밀고 내게 말을 걸어왔다.

"뭐 사끄요?"
"아뇨."
"근디 뭐 찾소?"
"소리요."
"소리라? 믄 소리라?"
"피아노 소리요."
"아! 쪼 위에."

여자는 시큰둥한 표정을 지으면서 엄지손가락만 까딱 세워 옆 건물 2층을 가리켰다. 그녀의 뭉툭한 손톱은 푸르스름했고 그 색만큼이나 푸른 통유리가 옆 건물 2층 벽면을 장식하고 있었다. 통유리보다 더 푸른 음音들이 또르륵 또르륵 지붕을 타고 떨어져 내리고 있었다.

"피아노 학원입니까?"

"갤르르인디라."

"갤러리요?"

"그거 그거요."

식당과 수산물 가게들이 즐비한 항구 골목에 웬 갤러리인가 싶었다.

"쫌 있쓰믄 자진모리 치끄요."

"무슨 곡인데요?"

"쑈팡."

"그걸 어떻게 아세요?"

"바람이 살살 불믄 저년이 꼭 쑈팡을 쳐 댄다니까."

"왜요?"

"가심이 짭짤한께 글것지."

난 소리를 향해 걸어갔다. 갤러리가 맞긴 맞았고 안에서는 사진전이 열리고 있었다. 벽에 붙

은 포스터에는 <쇼팽, 금오도를 연주하다>라고 적혀 있었다. 입장료 대신 천 원을 내고 종이컵에 원두커피를 내려받았다. 그걸 쥐고 2층으로 올라가는 나무계단을 밟았다.

피아노 음들이 나무계단 아래로 하나 둘 떨어져 내렸다... 나는 <해안통 갤러리>라는 로고가 찍힌 종이컵을 두 손으로 감쌌다. 배낭을 짊어진 젊은 여자 둘이 내 곁을 조용히 스쳐 아래층으로 내려갔다.

나무계단을 밟고 2층 전시장에 들어서자마자 나는 그만 멈춰서고 말았다. 바다로 향한 통유리 너머 여수항이 가득했다. 정박해있는 어선의 깃발들이 현란하게 움직였고 돌산대교와 장군도도 눈에 들어왔다. 장군도는 여수항으로 들고 나는 배들을 좌우로 나누고 있었다. 배들이 물살을 가르며 지나가자 넘실대던 수면은 이내 잔잔해졌다. 그렇게 '바다 오로라' 윤슬은 또다시 내 눈을 멀게 했다.

7.

파도와 햇살 그리고 바람이 어우러져야 볼 수 있다는 윤슬 때문에 눈이 부셨다. 갤러리 안을 가득 채운 피아노 소리는 보석을 머리에 얹은 요정처럼 흔들렸다.

음들은 끊어질 듯 이어지는가 하면 공중으로 튀어 올랐다. 마치 환각을 경험하는 느낌이었다.

통유리 앞에 그랜드 피아노가 놓여 있고 피아노를 연주하는 여자의 손가락 끝에서 파도가 잔잔하게 일렁였다. 귀가 훤히 보일 정도로 짧은 단발머리의 장년 여자였다. 블라우스 보라색 단추는 목까지 채워져 있었으며 연두색 긴 치마는 주름이 잘 잡혀 있고 검은 하이힐은 세심하게 페달을 밟아댔다.

여자의 손가락이 건반 위에서 파도를 일으킬

때마다 갤러리 통유리에는 윤슬이 뿌려졌다.

그 순간 나는 오동도 바다에서 허우적거리던 그 여자가 떠올랐다. 만약 그 여자가 이 장면을 보았다면 어떻게든 삶의 의지를 저버리지 않았을 것이다.

나는 신혼여행 차림새의 남녀가 한참 들여다보고 지나간 사진 앞으로 다가섰다. 사진에 제목은 없었고 그냥 <금오도 대유마을>이라고만 적혀있었다. 섬마을 펑퍼짐한 두 여자가 방파제 끝에 퍼질러 앉아 바다 건너편 섬을 멍하니 쳐다보고 있는 흑백 사진이었다. 작품에 제목은 없고 지명만 있는 게 조금은 의아하기도 하였다.

이런 생각을 하면서 사진을 보고 있는데 전시장 바닥으로 가라앉고 있던 공기들이 갑자기

거센 진동을 일으키며 소용돌이치기 시작하였다.

피아노 건반을 느리고 여리게 누르던 여자의 손가락들이 미친 듯이 널을 뛰고 있었다. 해머가 현을 난타하기 시작했다. 우울한 서정은 '격정'으로 바뀌고 있었다. 자진모리로 칠 것이라는 가오리 가게 여자의 예고는 맞아떨어졌다.

음들은 라르고와 프레스토를 오가면서 안정과 격조를 유지했다. 그러다 조용해졌다. 윤슬을 튕겨내던 여자의 손이 건반 위에 조용히 멈춰 섰다.

그때, 사진 속 섬마을 여자 둘이 주고받는 대화가 내 귀에 들려왔다.

"내가 심장 뒤집어진 거 생각하믄 그냥 콱 혀 깨물고 물에 뛰어들고 싶은디!"

"자넨 해녀라서 물에 뛰어들어봤자 전복만

딴디."

"긍께 혀깨문다 안 하요."

"그믄 쓰것는가. 그래도 자슥들 땜시라도
살아야제. 여그서 숯댕이 같은 심장 꺼내 바닷
바람에 뽀송뽀송하게 말려 다시 집어넣소."

"나가 뭐땜시 지금꺼정 참고 살아왔는지 모
르것소 성님."

"그래도 이 방 저 방 해싸도 서방이 최고
여."

나이가 아래일 것 같은 여자가 자신의 가슴
을 주먹으로 탕탕 치면서 말을 토해냈고 나이
들어 보이는 배추 머리 여자는 바다 건너 무인
도만 쳐다보며 건성으로 대답하고 있었다.

"그나저나 성님, 요번에 면에서 효도 관광
보내준 여수 흥국사 볼만 합디까?"

"철쭉이 흥국사를 겁나 덮어 부렀데. 아따

장관이드만. 고놈의 영감탱이만 없었쓰면 딱 구
경하기 좋든디 썩을 놈의 영감탱이 땜시 귀찮
아 죽것드만."

"성님은 영감이 없는디?"

"심포마을 고 영감탱이 있잖여."

"아 그 껄떡쇠 영감탱이?"

"고놈의 썩을 영감탱이가 나한테 꼬리를 치
잖여. 내 징·그·러·봐·서."

"그 껄떡쇠 영감탱이가 성님한테 들이밉디
까? 아따 그 영감탱이 주제도 모르고 성님한테
들이미요."

"긍께 말이네."

배추 머리 여자는 바람에 흩날리는 머리카
락을 손가락으로 쓸어넘기고 나서 등이 보이는
웃옷을 끌어 내리면서 발을 쭉 뻗어 꼬았다. 그
녀의 발은 방파제 끝을 넘어 허공에서 까딱거
리고 있었다. 발가락에 간신히 걸친 슬리퍼가

위태로워 보였다. 그녀는 배를 내밀고 뒤로 젖힌 몸뚱이를 손바닥으로 받쳤다. 그러자 바다 건너 무인도를 바라보는 자세가 안정을 찾았다.

8.

　갤러리 안 공기 파동은 완전히 멈추었다. 그
와 함께 금오도 여자들의 대화도 끊어졌다. 나
는 피아노를 바라보았다. 피아노 연주자는 두
손을 가지런히 무릎 위에 놓았고 두 눈은 통유
리 밖 여수항을 바라보고 있었다. 나는 피아노
에서 조금 떨어져 있는 의자에 놓여 있는 브로
셔를 집어 들었다.

　<　*박혜란의 클래식*

　　쇼팽, 금오도를 연주하다

　인간의 보편적 감성, 자연 그대로의 원초적인 것,
삶의 근원을 사진작가는 '섬'에서 찾아냅니다. 기교
를 부리지 않은 꾸미지 않은 그대로의 모습으로 흑

백 작품들은 말합니다. 근원적인 것 들은 시대와 장
소와 공간을 초월합니다. 그래서 십구 세기 폴란드
에서 태어난 쇼팽과 공감할 수 있는 것입니다. 그리
고 그것은 제 삶에 투영되었습니다. 낯선 곳에서 20
년 동안 바다를 바라보며 그의 곡을 연주해온 제 삶
이 느껴지시는지요. 사진 속 인물들과 쇼팽의 음악
이 한데 어우러져 우리 모두를 위로하기를 바랍니
다. >

　나는 피아노의 여자를 다시 바라보았다. 여
자는 통유리 너머 여수항을 물끄러미 바라보고
있었다. 그러다 내가 브로셔를 넘기는 소리에
그녀가 내게로 시선을 보냈다. 그녀가 나에게
물었다.

　"듣고 싶은 곡이 있으신가요?"
　"방금 치신 곡이 쇼팽입니까?"
　"네 . <녹턴 13번>"

"그럼 이번에는 쇼팽 <혁명>을 쳐 주실 수 있습니까?"

"<에튀드 혁명>을 말하는 것인가요?"

"그저 혁명이라고만 알고 있습니다."

그녀는 악보집을 보면대에 올려놓고 내가 원한 곡을 찾았다. 악보를 펼친 여자는 잠시 호흡을 가다듬었고 나도 숨을 깊게 들이마셨다. 혁명, 내가 쇼팽에 대해 기억하는 곡은 <녹턴>이 아니라 <혁명>이었다.

짓밟힌 조국을 떠나 떠돌이 생활을 해야 했던 젊은 쇼팽의 울분이 드러난 곡이어서도 그렇고 '혁명'이라는 단어 자체가 좋았다. 내 젊은 날을 온통 지배했던 단어였으나 단결된 민중의 함성도 사그라들었다. 내 젊은 날의 투지도 무너져갔다. 그래서 내가 여수로 내려온 걸까?

드디어 여자는 건반에 두 손을 얹었다. 갤러

리 공기는 팽팽하게 긴장되었다. 그 긴장된 공기는 여자의 손가락이 건반 위를 넘나들 때 회오리바람을 일으켰다. 힘이 들어간 부분에서 여자의 상체는 심하게 흔들렸다. 그와 함께 거칠게 나부끼는 짧은 머리카락이 여자의 눈을 찌를 것만 같았다.

난 가슴이 턱 막혀왔다. 처음으로 쇼팽의 <혁명>을 현실에서 듣고 있었기 때문이다. 그것도 관객이 아무도 없는 갤러리에서. 연주자는 나만을 위해 연주를 한 것이다.

9.

　짧은 회오리 같은 연주가 끝나자 나는 의자에서 일어나 여자에게 고개 숙여 감사를 전하고 아래층으로 내려왔다. 갤러리 밖으로 나오려다 연주자가 쓴 에세이집이 눈에 띄어 한 권사 들고 나왔다. 저런 여자가 왜 이곳 여수 골목까지 흘러 들었을까...

　나는 의구심을 품고 골목을 빠져나와 선창가를 향해 걸어갔다. 배들을 묶어놓은 선창가 계선주에 주저앉아 나는 그녀의 에세이를 읽었다. 그제서야 독일 유학까지 다녀온 그녀가 왜왜 여수 선창가에 흘러 들었는지를 알 수 있었다.

　"남편은 저에게 여수에 대해 두 점의 그림을 남

겼습니다. 첫 만남에서 그는 자신이 품고 있는 '꿈' 에 대해 말했고 여수에 대해 자랑스럽게 말했습니다. 어느 새벽녘 여수역에 내려서 만성리 굴을 걸어간 것! 여수에 대한 첫 번째 그림이었습니다. 그는 병상 중에도 여수 음식을 그리워했고, 의식이 없을 때에도 여수에 가고 싶어 했습니다.

또 다른 그림은 맑고 투명한 여수의 하늘과 따스함이었습니다. 그는 여수의 따스함을 사랑했고 그래서 힘들어도 웃을 수 있었다고, 넘어져도 일어날 수 있었다고 했습니다. 또한 여수의 모든 것을 사랑했다고 바람결에 속삭였습니다."

나는 계선주에서 일어나 여수항을 바라보았다. 크고 작은 통통배들이 분주히 오가고 있고 갈매기가 부지런히 날고 있는 여수 바다를 무연히 바라보았다.

산들바람이 내 뺨을 간지럽힐 때 나는 그녀의 손끝에서 튕겨 난 윤슬이 만져졌다.

　나는 입을 달싹거려 칠레의 민중가수 비올레
파라가 만들고 메르세데스 소사가 부른 노래를
흥얼거렸다.

"생에 감사해. 내게 많은 것을 주어서
눈을 뜨면 흰 것과 검은 것
높은 밤하늘을 수놓는 별들
그리고 사람들 속에서 내 사랑하는 사람을
온전히 알아보는 샛별 같은 눈을 주어서.

생에 감사해. 내게 많은 걸 주어서.
그것들로 행복과 고통을 구별할 수 있게 해주어
서.
그 웃음과 눈물로 내 노래가 만들어졌지.
당신의 노래도 마찬가지
우리들 모두의 노래가 그러하듯이
나의 이 노래도 마찬가지.
생에 감사해. 내게 너무 많은 것을 주어서"

여수항에는 자욱히 해거름이 내려앉고 있었
다. 나는 배가 고픈 줄도 모르고 여수항에 몇
시간 째 머물고 있었다. 어둠이 내려앉자 수면
에서 무수히 튀어 오르던 윤슬은 완전히 사라

졌다. 대신 밤하늘에서 윤슬을 대신해 별들이
빛을 뿜어냈다. 수많은 별들이 하나 둘 부서져
여수바다에 떨어져 내리는 광경을 나는 하염없
이 바라보고 있었다.

10.

　세월이 많이 흘렀다. 이제 나는 살인자가 돼서 이곳까지 왔다. 가슴에 피스톨 하나를 품은 채.

　내 손에 죽은 '그녀'와 살 생각이었다. 그런데 그녀는 마음을 바꿔 내게 결별을 통보했고 나는 애원하였지만 그녀는 뒤도 돌아보지 않고 '그'에게로 가려 하였다. 할 수 없이 나는 온전히 그녀를 나의 것으로 만들기 위해 그녀의 목을 졸랐다.

　내 손끝에서 눈을 감은 그녀도 어쩌면 삶의 무게를 덜어준 것에 감사했을지 모른다는 생각에 이따금 나의 죄책감은 사그라들기도 하였다. 아주 이따금은. 하지만 십수년전 바다에서 허우적대던 그 여자에 대한 연민의 반만 나의 여자에게 가졌어도 나는 결코 그 짓을 할 수 없었

으리라는 생각은 또다시 나의 가슴을 찢어버렸
다.

　만약 그때 내가 그녀의 목에서 두 손을 거뒀
더라면...그랬더라면　그녀는　내게　돌아왔을까,
하는 생각은 나를 웃게 만들었다. 자기를 죽이
려 했던 남자와 살 여자가 어디 있겠는가.

11.

　나는 숙소를 나와 언덕 위로 올라갔다. 돌산
대교 입구였다. 어젯밤에 영등천 포장마차 거리
에서 술을 마신 후 숙소로 걸어오긴 했는데 그
곳이 돌산대교 밑이었다는 것은 몰랐다.

　처음 여수에 와 보고 십수년 만에 다시 왔으
니 지리를 알 수가 없었다. 그 연주자가 있다는
섬을 찾아가기 위해서는 택시기사의 도움이 필
요했다.

　"어디로 가끄요?"

　"예술섬요."

　"워메 그리 말 하믄 나가 어찌 아끄요. 여수
삼백 육십 다섯 섬들이 전부 예술인디."

　여수에 그리도 많은 섬들이 있었던가?

섬은 하나의 세계이고 우리는 하나 하나의 섬
이다. 섬은 섬을 그리워한다. 그래서 내가 내려
왔을지도 모른다는 생각이 들었다.

"오페라 공연하는 큰 공연장 앞에 있는 예술
섬이라는 것만 압니다."

"아! 웅천 예울마루 앞에 있는 장도 말하는
그만."

"그렇습니까."

"그림 전시장도 있고 라이브로다 피아노 연
주하는 아트카페 있는 섬 말하지라?"

"기사님도 가 보셨습니까?"

"처자식 데리고 몇 번 가 봤소."

"……."

나는 고개를 돌려 차창 밖을 내다보았다. 관
광객이 몰리는 시기가 아니어선지 여수 거리는
비교적 한산했다. 그들의 걸음걸이도 서울과 달

리 여유가 있었다. 그리고 여수는 결코 거친 항
구도시가 아니라는 느낌을 주었다.

“손님 여수에 첨 옵니까?”

“십 몇 년 전에 한 번 오긴 와 봤습니다.”

“그요. 가족이랑 쉬러 오면 좋은 곳이지라.”

“……”

12.

   그녀가 날 버리고 떠난 건 결코 사소한 불운이 아니었다. 사나흘 술담배로 삭혀질 그런 아픔이 아니었다. 결혼을 코앞에 두고 돌아선 그녀의 행동은 나의 공간을 통째로 흔들어놓았다. 내 공간이 무너지자 그와 함께 나도 무너졌고 나는 세상에 혼자 내동댕이쳐진 느낌이었다.

   운명인지도 모른다고 생각하였다. 운명이라면 받아들였어야 하는데 내 의지는 그렇지 못했다. 지독한 이율배반이었다. 나는 포효하는 사자가 아니었다. 그렇다고 주어진 삶을 짊어지고 사막을 걸어가는 낙타도 아니었다. 그냥 세상에 던져진 나약한 생명체였을 뿐이다. 내 품에 안았던 여자를 광포한 세상에 빼앗긴 무기력한 유기체였을 뿐이다.

나는 그냥 사라지고 부서졌다. 나는 실바람에도 주저앉았다. 내가 기댈 것이라곤 술밖에 없었다. 문득 허약한 내 모습이 너무 징그럽다는 느낌이 밀려와서 나는 결심해야 했다.

나를 괴롭히고 있는 자기혐오에서 벗어나기 위해서는 한가지 선택밖에 없다는 걸 나는 알고 있었다. 택시가 달리는 동안 가슴을 매만져 보았다. 여전히 가슴 속에선 피스톨이 만져졌다. 오늘 하루만, 딱 하루만 더 피스톨을 가슴에 넣어두자... 나는 비겁하게 나와 타협하였다.

"거기 여자가 있습니까?"

"믄 여자요? 여수 여자들 거기 산책 많이 간디라?"

"아니…저 …피아노 연주하는 여자…….."

"여자는 모르것고 넙덕하고 비싸게 보이는 피아노는 있습디다?"

택시는 한참을 달렸다. 자그마한 항구도시인
줄 알았는데 굽이굽이 바다를 끼고 집과 건물
들이 늘어서 있어 지도 없이 어딜 찾아가는 것
은 힘들 것 같았다. 지나간 세월은 여수를 많이
변화시켰다.

"저끄 섬이 예술섬 장도요."

"그래요 섬에 건너갈 수 있는 배가 있습니
까?"

"쫌 있으면 물이 빠질 것인디 진섬다리 밟고
살살 걸어 들어가믄 돼요."

장도라는 섬은 사람이 살 수 있을 정도로
크지도 않고 오동도처럼 아름답지도 않은 볼품
없이 자그마한 섬으로 보였다. 예술섬이라는 수
식어만큼 아름답지도 않을 거 같은 그 작은 섬
에 들어가려고 사람들은 물이 빠지길 기다리고

있었다. 섬은 섬이지만 교각 없이 바다에 놓인 다리로 연결돼있었다. 그 위를 오가는 사람들은 밀물엔 다리가 살짝 물에 잠기고 썰물에 고스란히 드러날 것 같았다.

장도 아트까페

바닷물이 얕아지기 시작하자 진섬다리가 서서히 드러났다. 나는 그 바다를 내려다보았다. 수면 아래 조개들이 보였다. 어느 것이 살이 실하니 오른 진짜인지 어느 것이 패각인지 구별할 수가 없었다. 진섬다리가 완전히 드러나자 입구를 막고 있던 바리게이트가 치워지고 사람들이 건너기 시작했다. 어떤 이는 강아지를 앞세워 걷고 어떤 젊은 남녀는 서로 손을 잡고 걸어 들어갔다.

　　문득 사람들이 왜 저 섬으로 들어가는지 그게 궁금했다. 다리가 놓여 있기 때문이겠지만 다리는 누가 왜 만들었고 다리가 놓여 있다 한들 왜 사람들이 볼품 없는 작은 섬으로 들어가는지 알 수 없었다.

　　그럼에도 나 역시 그 다리를 걸어 들어갔다. 저만치 갯바위엔 녹아내리는 펭귄 조형물이 세워져 있었다. 나는 걸음을 멈추고 쳐다보았다. 그러고 보니 다리 입구에도 새끼를 업은 북극

곰의 조형물이 있었다. 왜 따뜻한 남쪽 여수에 북극과 남극을 상징하는 조형물이 함께 세워져 있는지 그제서야 나는 깨달을 수 있었다. 그만큼 여수는 모든 걸 품고 있었다.

나는 다시 걸음을 옮기다 또 멈추고 말았다. 철판을 오려서 만든 찻잔이 진섬다리 난간에 놓여 있었다. 사람들이 찻잔 손잡이를 잡고 사진을 찍고 있었다. 각도를 잘 잡으면 찻잔에 폐선을 담을 수도 있었고 사람과 차가 오가는 소호 대교도 담을 수 있었다. 그렇게 진섬다리는 나를 여러 번 멈추게 만들었다.

다리를 건너 장도 예술섬에 이르니 베토벤 교향곡 6번 <전원>이 가로등에 매달린 스피커에서 흘러나왔다. 인간의 숙명적 괴로움과 이를 이겨내기 위한 투쟁을 표현한 5번 <운명>과 대조를 이루는 자연주의 성향이 강한 교향곡이라는 것을 생각하니 위대한 예술가에게는 역시 다양한 세계가 존재한다는 걸 새삼 느꼈다.
내가 서울 번잡한 도심에서도 듣지 못한 걸 장
도 예술섬 투박한 가로등 스피커를 통해 듣고
있었다.

13.

　산책길을 따라 오르다 보니 장도 아트카페가 나왔다. 중년 여자 하나가 파라솔을 펼치고 야외 테이블을 행주로 닦고 있는 모습이 눈에 들어왔다. 그렇게 장도 예술섬은 손님 맞을 준비를 하고 있었다.

　좀 더 들어가니 어떤 여자가 집게로 뱀을 집어 올리고 있었다. 작긴 해도 분명 뱀이었다. 내가 놀라 하자 상대는 집게를 높이 치켜들며 말했다.

　"뱀이 아침 음악 들으러 올라왔나 봐요."

　"……."

　"여기는 게랑 뱀이랑 많이 올라와요."

　"그거 어떻게 하실 겁니까?"

　"돌려 보내려구요."

여자는 뱀을 돌려보내기 위해 숲 아래로 내려갔다 다시 올라와 내게 다가왔다. 다시 보니 10여 년 전 해안통 갤러리에서 피아노를 연주하던 그녀였다. 그녀는 길고 풍성한 머리카락을 뒤로 넘겨 고무줄로 묶고 밑단이 넓은 바지에 발이 편한 신발을 신고 있었다. 나는 그녀를 알아봤는데 그녀는 날 전혀 알아보지 못했다. 하기사 그녀가 날 기억할 만한 사건도 없었고 세월도 많이 흘렀다. 그러므로 그녀가 나를 알아보지 못하는 건 당연한 일이었다.

"뱀, 징그럽지 않습니까?

"징그럽기는요 얼마나 사랑스러운데요."

"네?"

"이 섬의 생명체들은 신이 모양만 다르게 표현한 것 뿐이예요."

"네?……아 네. 자연주의신가봐요."

"뭐든."

그녀는 내 말에 어깨를 들썩이며 빙긋 웃었
다. 나는 생뚱맞게 그녀가 범신론자인지 자연주
의자인지가 궁금해졌다. 하지만 정작 알고 싶은
건 그녀가 왜 다시 여수로 돌아왔는지였다.

독일 프라이부르크

"독일로 떠난 것으로 알고 있었는데 언제 오
셨습니까."

"여기 오는 여수사람들이 나를 만나면 매번

물어봅니다.”

“여수로 안 돌아오실 줄 알았습니다.”

“이 섬이 날 초대했네요.”

그녀는 자신이 독일로 떠났다 돌아온 것을 아는 사람이라면 당연히 여수사람이려니 하였다. 바다라는 광활한 자연과 365개의 섬을 거느린 도시지만 주민들은 서로의 사정을 훤히 알고 있기라도 하다는 듯이.

“독일 어디에 계셨습니까?”

“프라이부르크.”

“아! 자전거 천국!”

“가 보셨어요?”

“아뇨. 텔레비전에서 봤습니다. 2차 세계대전 때 폭격 맞아 파괴된 도시 아닙니까.”

“그랬어요. 그런데 사람들이 디슈하이트릿으로 만들었어요.”

"디슌하이트릿이 우리말로 아름답다는 뜻입니까?"

"네 독일어와 한국어는 표기되는 발음만 다를 뿐 구조는 같아요."

나는 그녀가 무슨 말을 하는지 알 수 없었다. 섬이 자신을 초대했다고 하는데 그만큼 장도가 독일의 그 도시만큼 아름답다는 뜻인지 정확히 이해가 되지 않았지만 내게는 그녀가 있을 곳은 여수보다는 독일이라는 생각도 들었다.

"오늘은 아이들이 체험 학습하러 오는 날인데."

"나는 그냥 목적 없이 산책하려고 왔습니다."

"그래요 살아있는 자연을 목적 없이 산책하다 보면 나와 자연이 하나가 되지요"

"……."

사람은 모순적 합일의 존재라는 것일까? 그
녀는 이렇듯 야릇한 말을 남기고 하얀색 아트
카페 안으로 들어갔다.

14.

　아트카페 흰 건물은 입구 오른쪽으로 거대한 통유리가 건물을 감싸고 있는데 장도 앞 가막만 풍경을 오롯이 담아내기에 충분했다. 그녀와 통유리는 신비로운 그림을 연출해냈다.

　카페 안을 들여다보니 아직 이른 시각이라 그런지 아직 손님이 없었고 카페 중앙엔 그랜드 피아노가 놓여 있었다.

　나는 아트카페 야외 벤치에 앉아 가막만 바다를 내려다보며 조금 전 그녀의 '아름답다'는 말을 곱씹어보았다.

　하얀 부표들이 드넓게 바다에 떠있었다. 다시마밭이었다. 조그만 어선에서는 남녀어부가 다시마를 건져 올리고 있었다. 부부처럼 보였다. 작은 갑판에 다시마가 가득 들어차 더 이상 실을 수 없게 되자 어선은 부표에 묶인 줄을

풀고 떠날 준비를 하였다. 그들은 양식장을 떠나기 전 갑판에서 서로 마주 보고 고개를 숙였다. 기도를 올리는 듯했다.

다시마를 실은 작은 어선이 수면을 가르며 출발하자 바람에 흔들리는 푸른 비단처럼 양옆으로 너울이 번져갔다. 너울이 살며시 가라앉자 햇살이 사선으로 수면에 꽂혔다. 그러자 수면 위로 은색 갈치들이 튀어올랐다.

내가 처음 여수에 왔을 때 여수항구에서 보았던 윤슬의 향연이 또다시 내 눈앞에 펼쳐지고 있었다. 나는 어느새 그녀처럼 '아름답다'고 되뇌이고 있었다. 그러자 윤슬은 아름다움이 되었고, 가막만 바다도, 부부 어부도 아름다웠으며, 보잘것없는 장도도 아름답게 빛이 났다.

나는 아름다움에 취해갔다. 나는 계속 취하고 싶었다. 보들레르의 말처럼. 깊은 밤 우울한 고독 속에서 깨어났을 때, 취기가 이미 가셨거

나 없어졌을 때의 그 막막함이 두려워졌다.

"취할 시간입니다.

시간에 학대받는 노예가 되지 않으려거든 계속
취하십시오.

술에, 시에, 혹은 덕목에, 아님 그 무엇에라도"

여수바다에, 햇살과 바람과 파도에 나는 취해갔다. 그때 내 몽롱한 의식을 자극하는 소리가 들려왔다. 아트카페 통유리를 뚫고 바다로 번져나가는 피아노 소리였다. 바다와 햇살과 바람의 교접음이었다.

피아노 소리는 무수한 윤슬이 되어 내 심장에 와서 박혔다. 갈치 비늘이 만들어내는 윤슬과 건반의 파동이 내 부서진 심장에 수를 놓기 시작하였다.

그녀도 취해 있었다. 나는 아트카페 건물 밖

먼 발치에서 통유리 안을 들여다보았다. 카페 안은 어느새 어린아이들로 가득 차 있었다. 체험학습 온 아이들이었다. 그녀는 아이들 속에서 열정적으로 몸을 움직이며 연주를 하고 있었다. 까페 앞에 놓여 있는 체험학습 연주곡 브로셔를 통해 그녀가 치고 있는 곡이 <슈만 피아노 소타나 1번>인 것을 나는 알았다.

아름다운 섬이 있어서 그녀의 피아노 소리가 아름다운 것이 아니라 그녀의 피아노 소리가 아름답기에 섬이 아름다웠다.

15.

또다시 나는 아름다움에 취해갔다. 그녀의 피
아노 연주가 아름답다고 말하자 그녀가 연주하
는 슈만의 피아노 소나타도 아름다움이 되었다.
그렇게 그녀의 언어와 피아노가 아름다운 장도
를 만들고 있었다.

나를 예술섬 장도 아트카페로 이끈 것이 무
엇인지는 모르겠다. 그냥 서울에서 결행할 수
있는 것을 굳이 왜 이곳까지 끌고 왔는지 나도
알 수가 없었다.

나는 산책로를 천천히 걸으면서 연주하는
그녀를 윤슬이라고 부르기로 하였다. 그러자 그
녀는 햇살과 바람과 파도가 되었다. 내가 아름
다운 섬이라고 부르자 섬 장도는 햇살과 바람
과 파도가 피아노를 치는 예술섬이 되었다.

나는 진섬다리로 돌아왔고 가로등 스피커에

서는 슈트라우스가 니체의 책에서 영감을 얻었다는 <짜라투스트라는 이렇게 말했다> 가 흘러나왔다. 나만을 위한 음악처럼 느껴졌다. 그렇다면, 내가 없었다면 짜라투스트라도 나를 위해 10 동안 산속에서 고뇌하지 않았을 것이다. 내가 없었다면 니체도 슈트라우스도 없었을 것이다. 내가 있기에 니체는 *"있는 것은 아무것도 버릴 것이 없으며, 없어도 좋은 것이란 없다."*고 말했을 것이다.

모든 것이 나를 위해, 나를 중심으로 존재한다는 생각에 나는 우쭐해졌다 . 이렇게 다시 사람의 숲으로, 존재의 우물 속으로 나는 걸어들어가 아무 일도 없었다는 듯이 살아가면 되는 것이었다.

저 앞에서 보슬보슬한 강아지를 앞세우고 진섬다리를 건너 예술섬으로 걸어오는 노인을 보고 나는 평온해졌다.

비로소 세상과, 모순으로 가득한 내 삶과 화해할 시간이 왔다고 느꼈다. 더 이상 세상을 원망할 이유도, 떠나간 그녀를 미워할 까닭도 없다고 느꼈다.

이 좋은 시간에 나는 세상과 완전히 하나가 되고 싶었다. 어디선가 아련하게 그녀의 피아노 소리가 들려왔다. 그 소리는 내가 가는 곳마다 따라 다녔다. 그것은 눈부신 햇살과 어우려져 또다시 나를 '아름다운 혼란'속으로 밀어 넣었다.

나의 눈과 귀는 이미 세상에 대한, 떠나간 그녀에 대한, 사람의 숲을 향한 그리움으로 내닫고 있었다. 이제 돌아가자...

그것은 한순간이었다. 탕! 소리 한번에 나의 두개골은 박살이 났다. 그 순간 나는 분명히 보았다. 저만치 언덕에 웅장하게 서 있는 공연장 예울마루를. 그리고는 그쪽으로 걸음을 옮기는

나를... 아마도 오늘 멋진 오페라 공연이 있을
거 라는 예감에 사로잡혀.

윤슬

pistol

발 행 | 2024.4.30
저 자 | 이동우
펴낸이 | 로맹
펴낸곳 | 로맹
출판사등록 | 2023.12.14
주 소 | 서울특별시 성북구 보국문로 30길15
이메일 | jill99@daum.net

ISBN | 979-11-93896-03-7

www.romainpublish.modoo.at